爸爸妈妈焦点指南

您的宝宝是不是偶尔无精打采？

您的宝宝是不是偶尔睡不好、吃不香？

您的宝宝会不会偶尔流下悲伤的泪水？

您是不是想知道宝宝为什么难过？

您是不是更想知道，

宝宝能不能自己化解悲伤，

变得乐观而坚强？

这里，或许有你需要的答案！

快快往下翻，

读故事，玩游戏，看指导，

和宝宝一起对付这个叫“难过”的调皮鬼。

让宝宝做情绪的主人

儿童心理教育专家《父母必读》主编 徐 凡

情绪无论好坏，都伴随着人的整个生命旅程，每一种情绪都有着重要的生物学意义，对孩子的生存具有一定的贡献。在生活经验中，我们发现了一种现象：强烈的情绪，比如狂喜、暴怒、极悲，有可能使人的心智变得狭窄，因其过度调用身体资源，会对健康造成一定的伤害。还有一些情绪，比如羡慕或嫉妒，有的会给人带来动力，有的会伤害人与人之间的关系。

我们的心灵犹如一个容纳各种情绪的盒子，哪一种都不应该被排斥在外。家长需要做的就是帮孩子建立起管理这个盒子的心智体系。无论是正面情绪还是负面情绪，如果我们能帮孩子很好地认识它们、接受它们、管好它们，我们将看到一个情绪丰富、情感丰满的孩子在成长。

在这套书中，有一系列帮我们认识和调控消极的负面情绪，以及强化和放大积极的正面情绪的好方法，相信在亲子共读的过程中，父母和孩子都会有收获。

儿童心理咨询专家 北京友谊医院副主任医师 柏晓利

多年前，当我们还是孩子时，我们的情绪往往不被父母重视，有时我们会觉得委屈和压抑，甚至埋怨父母不懂自己。那时，我们更不懂得如何表达情绪，我们的童年经常受到坏情绪的困扰。现在，我们做了父母，开始知道，对孩子的情绪不能简单地用语言禁止、否定或者漠视，情绪需要用智慧来管理。这套情绪管理丛书，就是这样一套能帮助父母应对3岁~6岁宝宝情绪，弥补我们童年的缺失的丛书，是为宝宝成长助跑和为父母补课的好书。

这套丛书将情绪管理这一理论深入浅出，用3岁~6岁宝宝能理解的生动故事和充满童趣的语言，把人的最基本的情绪逐层解析，帮助父母和宝宝轻松地学会情绪管理，开启通往快乐、幸福人生的大门。

当您在给宝宝读这本书时，请您设想自己还是孩子时的感受，用孩子的视角来理解、接纳和管理宝宝的情绪。阅读这样一套丛书，您的宝宝会受益终生，而您自己将会是最大的受益者。

幼儿情绪管理互动读本

托比不要哭鼻子

THOMAS & FRIENDS™

童趣出版有限公司编译　人民邮电出版社出版
北　京

多多岛的春天来了，小火车们在温暖的阳光下努力工作。一天，胖总管来到提茅斯机房，他带来了一个好消息。

“多多岛博物馆要开幕了，很多客人要来参加开幕典礼，我希望你们看起来非常棒，所以大家都得重新刷油漆。”胖总管说。

小火车们都非常兴奋，可是培西却不知道博物馆是什么。高登告诉他："博物馆就是放没用的旧东西，然后让人站着看的地方。"

这天，詹姆士遇到托比，他高兴地说："胖总管要我们重新刷油漆啦！""我怎么不知道？"托比很惊讶。"我猜胖总管是故意不告诉你的。"詹姆士说。

这天晚上，托比觉得自己的锅炉冷冷的、湿湿的，难过得直想哭。他想知道："胖总管为什不告诉我呢？"

第二天，托比遇到了托马斯，他问："托马斯，胖总管也要你重新刷油漆吗？""是啊，我们全部都要重新刷油漆呢！"托马斯快乐地说。

托比难过得哭了，“胖总管没有告诉我，他一定认为我是没用的老蒸汽电车，他要把我放进博物馆。”

托马斯说：“也许不是因为这个，你干吗不去问问胖总管呢？”托比可怜巴巴地说：“我害怕听到胖总管说我没用了。”

托马斯说：“真正有用的小火车应该很忙碌，你也忙碌起来吧。”对，托比想：“我要让胖总管知道，我还是有用的蒸汽电车。”

托比开到机房。胖总管正在那里跟艾蜜莉说话：“艾蜜莉，你现在去刷油漆，我会派别的小火车替你拉面粉。”

“让我来吧！”托比连忙说道。“谢谢，还有……”没等胖总管说完，托比就急忙开走了，他害怕听到胖总管说他没用了。

托比帮艾蜜莉把面粉送到码头，胖总管也在那里。他大喊：“托比…… ”可是托比头也不回地飞快开走了，这让胖总管很纳闷儿。

这一天，当托马斯去刷漆时，托比辛苦地替他拉安妮和克拉贝尔。

当工人们把詹姆士刷得帅气又闪亮的时候，托比在煤场替他拉煤，弄得一脸黑乎乎。

当培西被刷得干干净净的时候，托比在山里替他拉石头，弄得浑身脏兮兮。

突然，托比看见了胖总管。他急忙退进一条支线，结果一头撞上了堆在铁轨上的一块大石头。砰的一声，托比的排障器撞坏了。

胖总管急忙赶过来，他说："托比，你干吗一整天都躲着我？""因为我不想被你放进博物馆。"托比难过地说。

“谁说我要把你放进博物馆？我要给你一个特别的任务，就是去接客人们来参加典礼。”胖总管说。“真的吗？”托比终于开心地笑了。

托比被修好了，还被擦得闪闪发亮。他想："要是早点去问胖总管就好了。难过的时候要说出来，也许事情没有那么糟糕。"

开幕典礼那天，托比载着客人来来往往。他非常自豪，因为自己是一辆真正有用的蒸汽电车。

托比以为我要把他放进博物馆，难过了好久。这到底是怎么回事？快来说一说。回答一个问题，就给自己涂一枚小火车勋章，加油把勋章都涂满吧！

1

托比为什么伤心了？

2

为了证明自己是有用的小火车，托比都做了些什么事？

3

托比为什么不敢和胖总管说话呢？

4

胖总管真的要把托比放进博物馆吗？

妈妈小贴士 用小火车勋章做为奖励，来鼓励孩子回味故事、思考问题，体验难过的情绪过程，让孩子知道，难过了要及时说出来，不然可能会很糟糕哦！

托比以为自己被遗忘了，所以很难过。小朋友，你会为什么而难过？遇到下面这些情况时，你会难过吗？根据提示，把你的信号灯涂上颜色。

小朋友们都在一起玩却不叫我。

我把最心爱的小熊弄丢了，怎么也找不到。

我生病了，头很痛。

我养的小白兔死了。

我最好的朋友贝贝要换幼儿园，不跟我在一起了。

爸爸下班回来不抱我，也不理我。

我好想念爷爷，可是却见不到他。

我不小心把花盆打碎了，妈妈说我不听话。

穿衣服比赛，我是最后一个穿完衣服的。

红灯 我很难过

黄灯 我有一点儿难过

绿灯 我不难过

情绪放大镜

难过的时候，托比会感觉湿湿的，凉凉的。小朋友，你难过的时候会有什么感觉呢？撕下左边的放大镜，贴到你有同感的图片旁边吧！

我感觉心里装满了大石头，鼻子也酸酸的。

我感觉好累好累，什么都不想做。

我感觉冷飕飕的，想要有人来抱抱我。

我会一个人躲起来，谁也不理。

我会使劲儿地哭，哭到自己没有力气。

我会吃不下饭，连我最喜欢的鸡腿也不想吃。

妈妈小贴士 以上是宝宝难过时的6种感觉和表现，您的宝宝占了几种呢？撕下左侧的放大镜，贴在插图旁边，帮助您和宝宝发现他的情绪信号。

甩掉难过，我有好办法！翻开小窗，找找看！如果有你喜欢的方法，就把旁边的微笑小火车涂上颜色吧！

请按照提示线将28页与29页粘贴

和宝宝一起，沿着模切线翻开小窗，找到适合宝宝的甩掉悲伤的好办法吧。

粘贴

粘贴

粘贴

妈妈温暖的怀抱会帮我赶走冷飕飕的感觉。

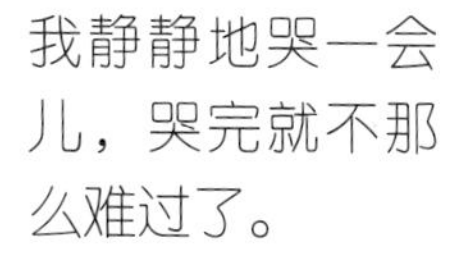

我静静地哭一会儿，哭完就不那么难过了。

我会把让我难过的事情都说给小熊听。

我会告诉身边的人，他们会帮我想办法的。

我去做我喜欢的事，悲伤就会自己跑掉了。

我会把不开心的事情画出来，然后扔掉，我就不难过了。

粘贴

粘贴

粘贴

小朋友，我还有让你忘记悲伤的好办法。快站起来，边念儿歌边做操。把儿歌记在心里，遇到难过的事情就做做操，悲伤的心情就不见了！

1 2 3 4 5

快乐宝宝不悲伤，推倒心里大石墙

两根手指放嘴角，两手一拉往上翘

拍拍脸蛋揉揉腮，宝宝脸上笑起来

小手拍拍小胸膛，不让悲伤里面藏

双手扶膝蹲又起，快乐的事记心里

跺完左脚跺右脚，再找朋友聊一聊

难过的事说出来，伙伴帮我乐开怀

妈妈小贴士 教宝宝念儿歌，根据图片的提示，带领宝宝动一动，通过身体的运动，释放坏情绪带来的心理压力，同时让宝宝记住儿歌里的关键词，当他难过时，会派上大用场哦！

难过是一种沉重的消极情绪，但也是宝宝成长过程中必须经历的情绪。那么悲伤是坏事吗?宝宝为什么会悲伤呢?下面为您解惑。

经历过悲伤的宝宝，更能够体谅和关心他人，也更能够理解幸福和快乐；经历过悲伤的宝宝，对坏事和挫折的应对能力和承受能力也比较强。很多原因都可能会让宝宝感到悲伤，大致可以分为以下几类：

1、经历分别

最好的朋友搬家了，爸爸出差了，来做客的小伙伴要回家了……这些都会让宝宝从心底泛起离别的忧伤。最让人悲伤的事情莫过于至亲离世，即使是成人也难坚强面对，宝宝稚嫩的心灵更是难以承受如此沉重的阴霾。

2、遗失心爱的东西

宝宝总会有一些视若珍宝的小东西，可能是一件小衣服，一个玩具熊，一张小卡片，甚至一颗小钮扣，这些东西会带给宝宝快乐和安慰。一旦心爱的宝贝破损或者遗失，宝宝就会难以抑制心中的悲伤。

3、感觉自己被排斥

小伙伴们怎么不和我一起玩?小朋友有了新玩具为什么不让我看?有时候宝宝心中会产生被排斥的失落感。在宝宝社会化的过程中，融入某个团体，获得归属感，是至关重要的。一旦寻求这种归属感的期望落空，宝宝就会感到悲伤、难过。

4、经历失败

无论是因为好奇而进行的探索受到打击，还是为追求成功而进行的尝试遭遇挫折，宝宝发现自己能力不足，不是什么事情都能做好，随之而来的挫败感都会让他陷入悲伤。

那么，宝宝难过了怎么办？怎样能最有效地化解宝宝的悲伤？这里为您提供一些小策略，帮您将宝宝的泪水转化为天真的微笑。

Tip 1 大大的拥抱，给宝宝温暖

对付难过，最好的办法莫过于给宝宝一个大大的拥抱。父母温暖的怀抱给宝宝传递身体的热量和力量的支持，让宝宝获得温暖和安全的感觉，获得心理安慰。

Tip 2 耐心倾听，给宝宝宣泄情绪的出口

宝宝难过的时候，父母不要简单地转移宝宝的注意力，讲笑话或者做滑稽的动作惹宝宝发笑。这样做，只是暂时缓解，坏情绪过后还会冒出来影响孩子。家长要让宝宝把难过的事情说出来，并不断地点头，表示“我知道，我理解”。

Tip 3 接纳宝宝的悲伤

宝宝悲伤的时候，父母不要说“没什么大不了的”、“不要难过了”一类的话，这样会暗示宝宝压抑甚至排斥自己的情绪。父母要表示理解：“这确实是一件让人伤心的事情。”或者“有时候我也会有这种感觉。”父母还要表示接纳：“心里难过就哭一会儿吧，妈妈陪着你。”

Tip 4 允许宝宝哭泣，给他宣泄的空间

如果父母尝试了很多办法，宝宝依然伤心痛哭，也不要放弃或者吓唬他：“再哭我就走了。”这时候要对宝宝说：“你心里还是很难过，对吗？那你就一个人再哭一小会儿，感觉好点了就告诉妈妈。”只有让孩子把心里的悲伤通过眼泪宣泄出来，才能给快乐腾出储藏的空间。

Tip 5 找到改变现状的办法并付诸行动

如果孩子长期为某一件事或某一类事伤心难过，家长就要想办法以积极的方式消除这个导致难过的原因。比如宝宝的朋友不和他玩了，父母要积极行动，为宝宝创造机会，帮助宝宝找到新朋友。